《黃賓虹全集》編輯委員會編

黃賓虹全集

7

花鳥

山東美術出版社・浙江人民美術出版社

主　編・王伯敏
分卷主編・盧坤峰　王　荔

目次

導語·水流花放

元人寫花卉，筆意簡勁古厚，于理法極嚴密，白陽、青藤猶有不逮。

——黄賓虹自題畫

潘天壽是當代大寫意花鳥的大家，他對黄賓虹的花鳥畫激賞不已。曾説：『人們只知道黄賓虹的山水絶妙，花鳥更妙，妙在自自在在。』尤其黄賓虹晚年的山水畫，用筆蒼辣，積墨深厚，一種鬱勃凝重之氣躍然而出，有如他所崇尚的『黝黑如行夜山』的五代、北宋畫。而其花鳥，確與他的山水畫有另一種『了不相似』（潘天壽語）之韵致。潘天壽的本意，或并非謂其花鳥更妙于山水，而是因了山水之絶妙，花鳥便能更妙。我們不妨先來看看畫史上的故實。

兼擅山水、花鳥的畫家，畫史上并不鮮見。有意思的是，這種兼擅的高手，更多見于文人開寫意之風即『以書入畫』以後。如元初趙孟頫，人物、禽鳥、花卉、山水各科精能，其倡言『貴有古意』，上追晋、唐的『古雅』，以承緒北宋蘇、米『書法入畫』一脉之法，規避南宋的獷悍。經趙孟頫規導的元代畫壇，書法入畫的『雅格』成爲主流，畫風往文質彬彬、端莊兼流麗的方向回歸。而山水、花鳥兼擅的風氣也開始大盛。比趙孟頫年長的錢選，山水、花鳥同爲世所重。元四大家中，倪瓚、吴鎮、王蒙皆作竹石；杭州畫家王淵，在趙孟頫的指導下把淵源于北宋徐熙『落墨花』的『墨花墨禽』畫得藴藉雅致。至明中期，吴門沈周、陳淳諸大家畫山水亦作花鳥，只是較元人更趨簡逸，當是因了草書入畫的緣故。而更加草筆寫意之風尚當以徐渭爲極致。清中期，花鳥畫在揚州呈現出繁榮與衰落互見的兩面性。一個值得注意的現象是，華新羅、高鳳翰、黄慎等花鳥大家亦畫山水，但似乎是以花鳥畫的情趣筆致來經營山水，讓山水有了一種失重的感覺。稍稍回顧畫史，可知文人開寫意之風後，盛行山水花鳥兼擅。但其中似也有一般規律：若山水爲主兼擅花鳥，筆墨往往法理兼備，氣局格調也高；反之則不然。例外的似乎只有八大山人，所畫山水一如其花鳥氣格高標，但這樣的例外者少見。

以畫史這樣的規律來看黄賓虹，看其花鳥畫與山水畫的關係以及花鳥畫的旨趣及成就，便有了依據。

黄賓虹十五歲那年，父親爲慶自己五十壽辰請來畫師陳春帆，爲全家畫了《家慶圖》。這是一幅設色清雅的寫真人物畫，獲得全家珍愛，後成了長子黄賓虹一輩子壓箱底珍藏的寶物。三年後，父親又延請陳春帆爲黄賓虹師，這是黄賓虹第一次正式拜師學畫。雖然小時就有一倪姓畫師給予『作畫當如作字法』這麽一個令他『明昧參半』的畫訣，但繪畫既爲一項『術業』，當然他父親認定須有一個師徒授受過程。經過拜師學藝，中國畫狀物、寫人、摹景的基本規範已大略給黄賓虹打了一個底。兩年後在父親的安排下，二十出頭的黄賓虹又隻身投奔在揚州爲官爲商的徽籍親戚，希圖結交師友擴充見聞，甚或找到安身立命的合適位置。期間曾在一任鹽運使的親戚那裏謀得一『録事』職，但只數月後即『拂袖』而去。這個生性敦厚內斂的徽商之子，待人謙和不喜張揚，但又是一個理想主義者。從他晚年的記述中可知，游學江淮、徽歙的十年間，輾轉于各書院，結交儒士學者。尤其眼見十九世紀末凋敝的民生、外來的侵擾威脅，內心更滋長起憂世憤俗、悲天憫人的士大夫情懷。這種胸襟懷抱，自然與官商『録事』之職格格不入。

末世之際的揚州畫壇，雖曾是花鳥畫的重鎮，雖仍有七百餘畫師雲集謀生，而浮泛粗率之景況，却讓人有不堪入目之慨。但在一片衰敗低迷中，竟有一個已患『狂疾』的畫師陳若木讓黃賓虹敬重有加。有人稱陳若木曾是太平軍畫師，也有謂陳乃太平軍畫師虞蟾弟子，總之頗有些經歷。陳若木的山水畫，筆綫遒練恣縱而設色古雅，黃賓虹稱其『沉着古厚，力追宋元』，而『雙鈎花卉極合古法，最著名』。能稱『沉着古厚』『極合古法』，可知黃賓虹于揚州畫界獨對陳若木懷有敬意。而斯言同時也透露出，他是有意識、有選擇地往傳統乃至上古三代金石古迹溯源，以探討『沉着古厚』之法，這可説與元初趙孟頫『貴有古意』的心曲相通。一九二五年，黃賓虹著《古畫微》時，舉清末維揚畫界的佼佼者，僅陳若木一人而已。在給朋友的信中，又將陳若木列爲『咸同金石學盛而書畫中興』時涌現出來，具有近代意識的新藝術先驅之一。所謂『道咸中興』，即清末書壇畫壇以金石學爲依托而引發的一股蔚然勃興的新氣象，這是黃賓虹醞釀許久的重要見解。而他二十歲剛出頭在揚州遇見陳若木的思考，當是這一見解的萌芽。

黃賓虹雖一輩子念念不忘陳若木，也藏有陳的山水、花鳥作品，但未有資料表明他曾拜師于陳。後人所作傳記中，對黃賓虹是否向陳學畫花鳥有不同説法，對黃賓虹何時開始作花鳥畫也有多種揣測。迄今所見，黃賓虹早期即六十歲前的花鳥作品，甚至七十歲前的花鳥作品也極少署款。可以設想，以青年黃賓虹的取向，一定更着意在『岩壑』間，即山水畫的追求上。雖然當年揚州及以後所居的滬上，花鳥畫都是大宗甚至可稱時尚，但這或許正是穩健內斂的黃賓虹想要迴避的。在他六十四歲所作的《擬古册頁》中，臨擬王維、荆浩至沈周、文徵明共十家，均用冲淡、清明的筆意統攝各種筆法。其中惟有一幅花卉擬意唐寅，意筆設色，穠古舒和，與山水同一旨趣，未染黃賓虹已居二十年的海上流風時習。『沉着古厚』之法，他主要于山水領域中求索，這是明確的。從他晚年大量的花鳥畫作看，『勾花點葉』肯定是他之非常所愛。而謹慎下筆，遲作或少作，或許就是因了揚州和海上畫壇帶給他的思考。

花鳥作品圖版

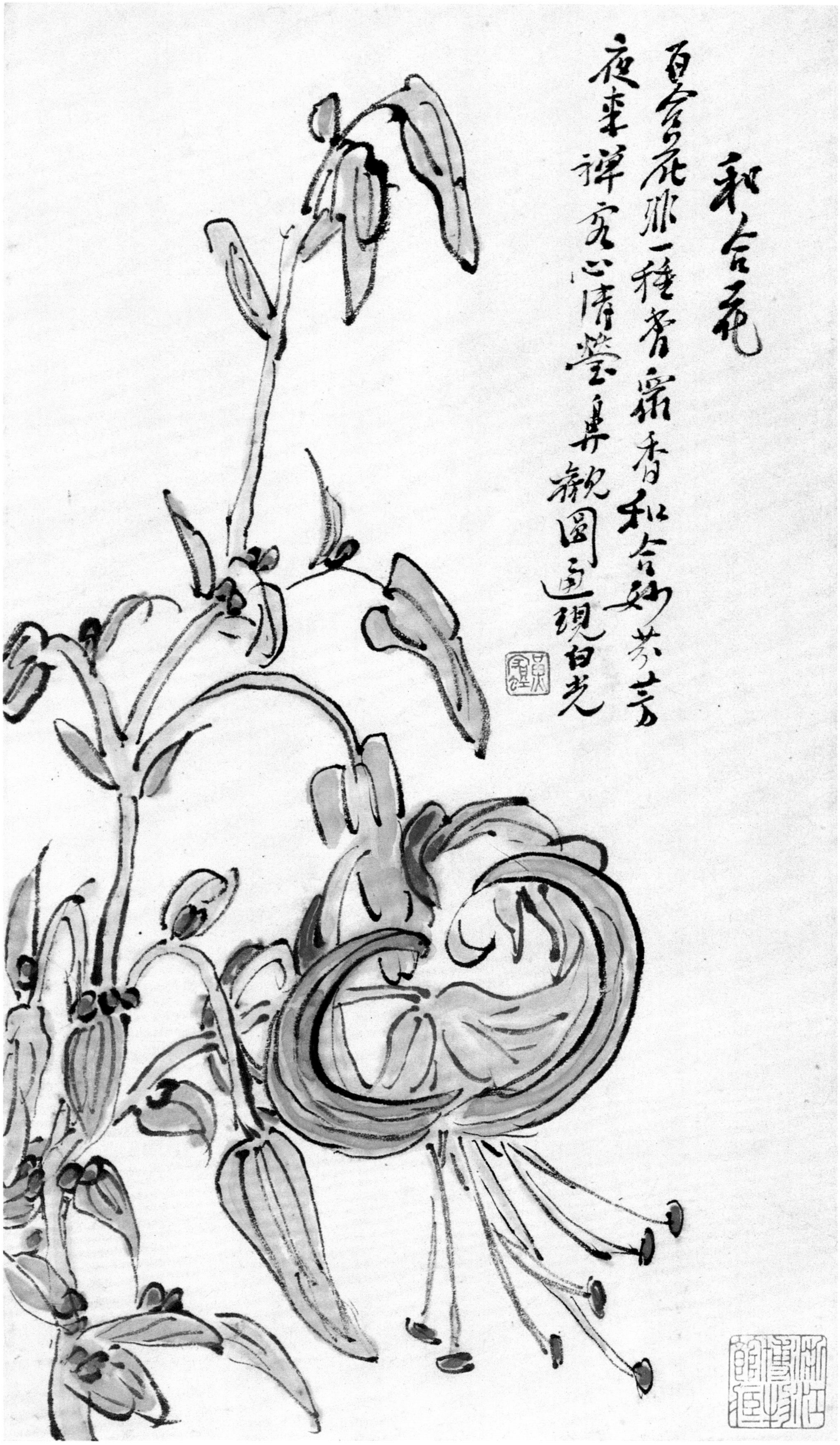
和合花
百合花非一種香
衆香和合妙芬芳
夜來禪客心清瑩
鼻觀圓通現白光

花卉 八幅　紙本　縱二八・六厘米　橫一五・六厘米　浙江省博物館藏

之一　和合花

題識：和合花　百合花非一種香　衆香和合妙芬芳　夜來禪客心清瑩　鼻觀圓通現白光

鈐印：黃賓虹

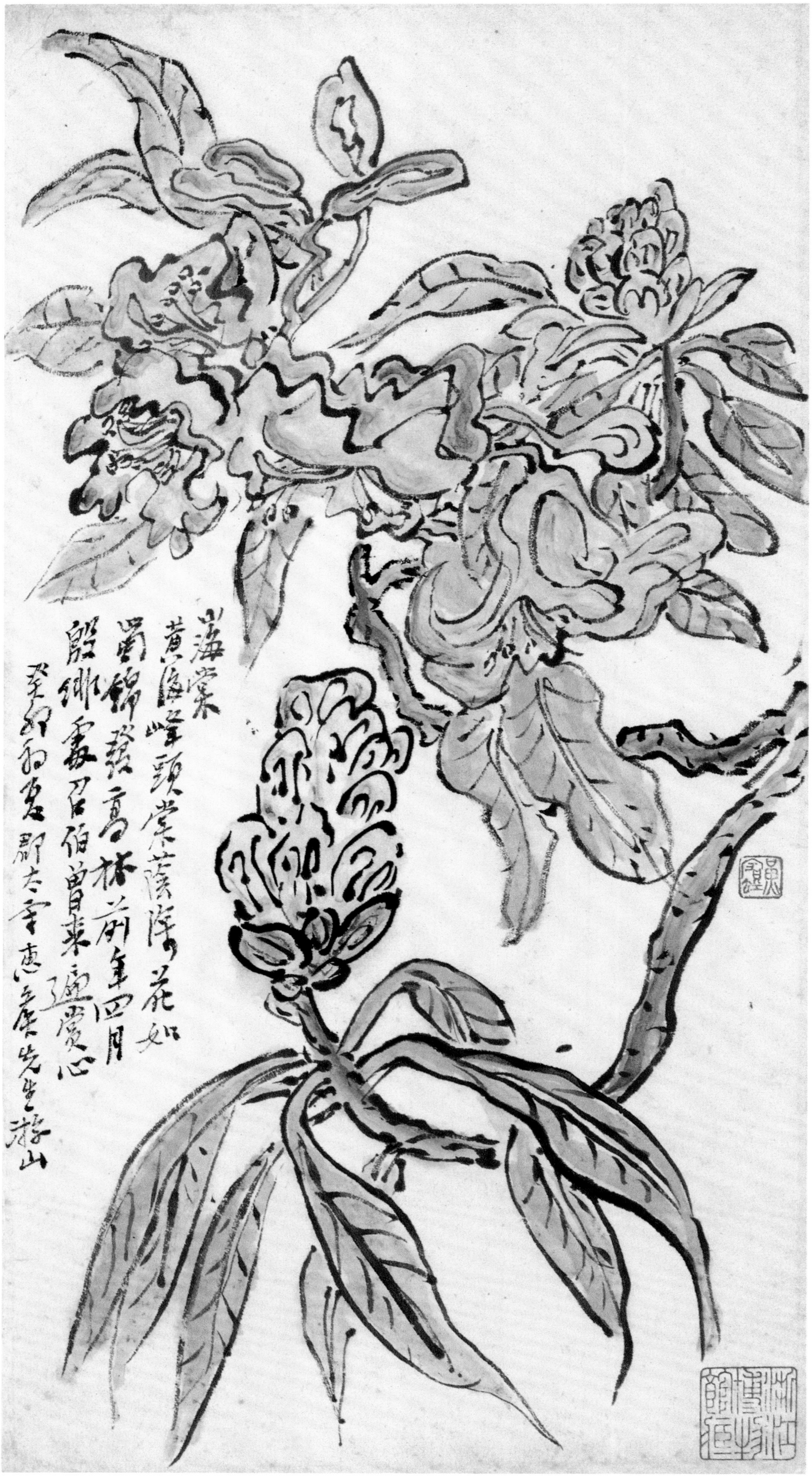

之二　山海棠

題識：山海棠　黄海峰頭棠蔭深　花如蜀錦發高林　前年四月殷緋處　召伯曾來遍賞心

癸卯初夏　郡太守惠侯先生游山

鈐印：黄賓虹

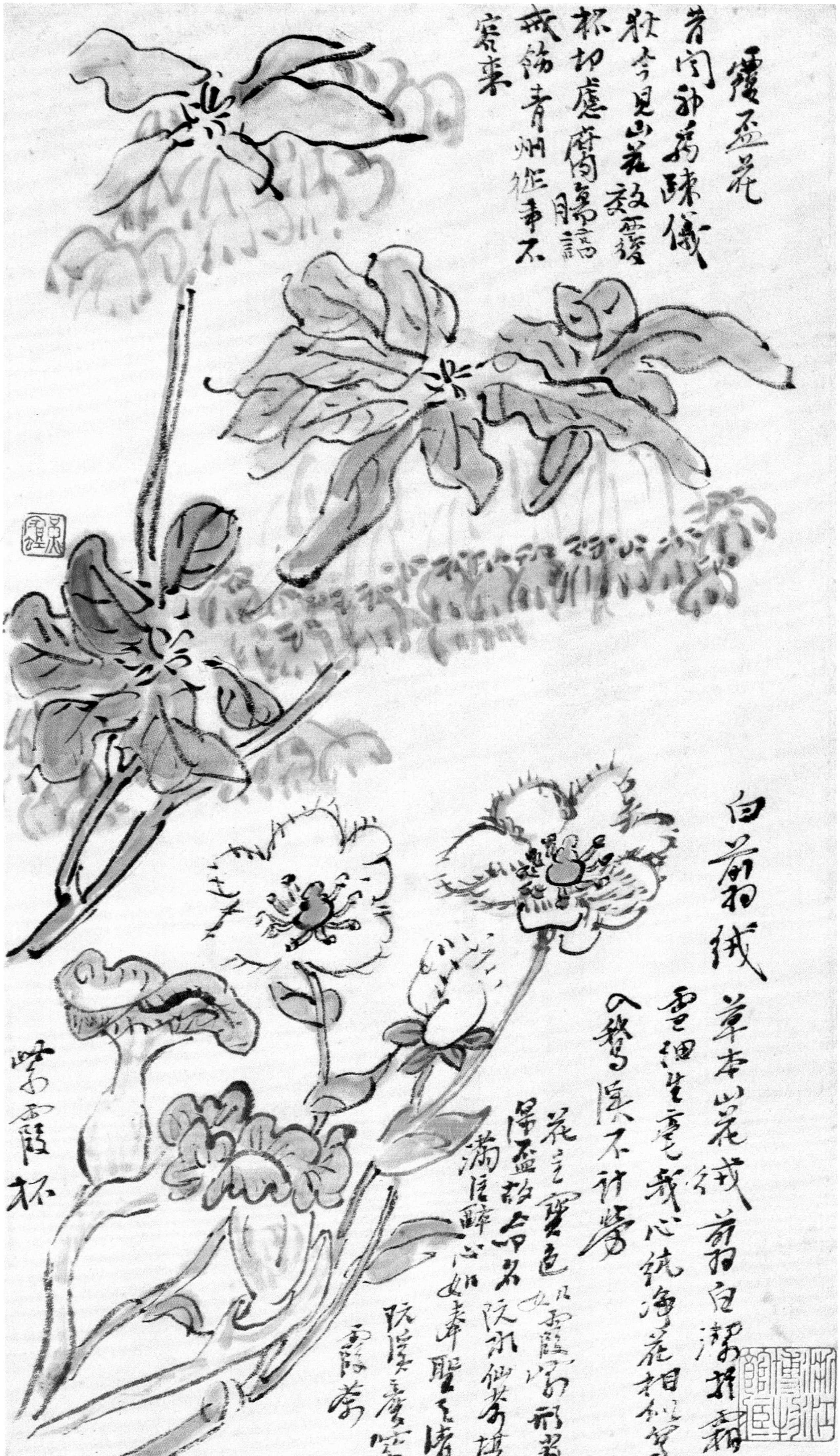

之三　覆杯花白翦絨紫霞杯

題識：覆杯花　昔聞神禹疏儀狄　今見山花效覆杯　切慮腐腸諄戒飭　青州從事不容來

白翦絨　草本山花絨翦白　潔于霜雪細生毫　我心純净花相似　寫入鵝溪不計勞

紫霞杯　花呈寶色如霞紫　形肖深杯故命名　阮水仙茶堪滿注　醉心如奉聖天清

阮溪産紫霞茶　　鈐印：黄賓虹

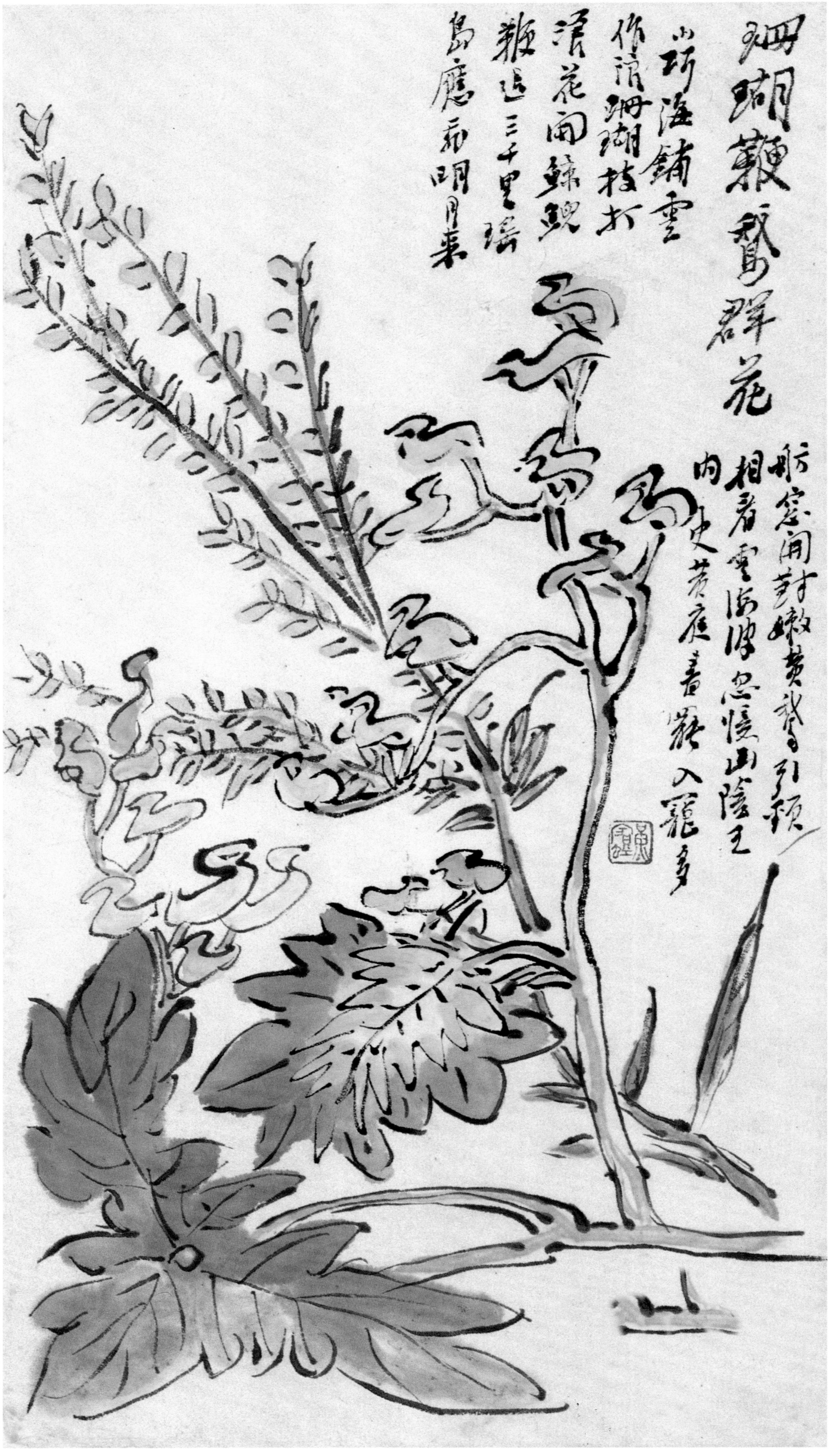

之四　珊瑚鞭鵝群花

題識：珊瑚鞭鵝群花　小巧海鋪雲作浪　珊瑚枝打浪花開　鯨鯢鞭退三千里　瑤島應飛明月來

舫窗開對嫩黃鵝　引頸相看雲海波　忽憶山陰王內史　黃庭書罷入籠多

鈐印：黃賓虹

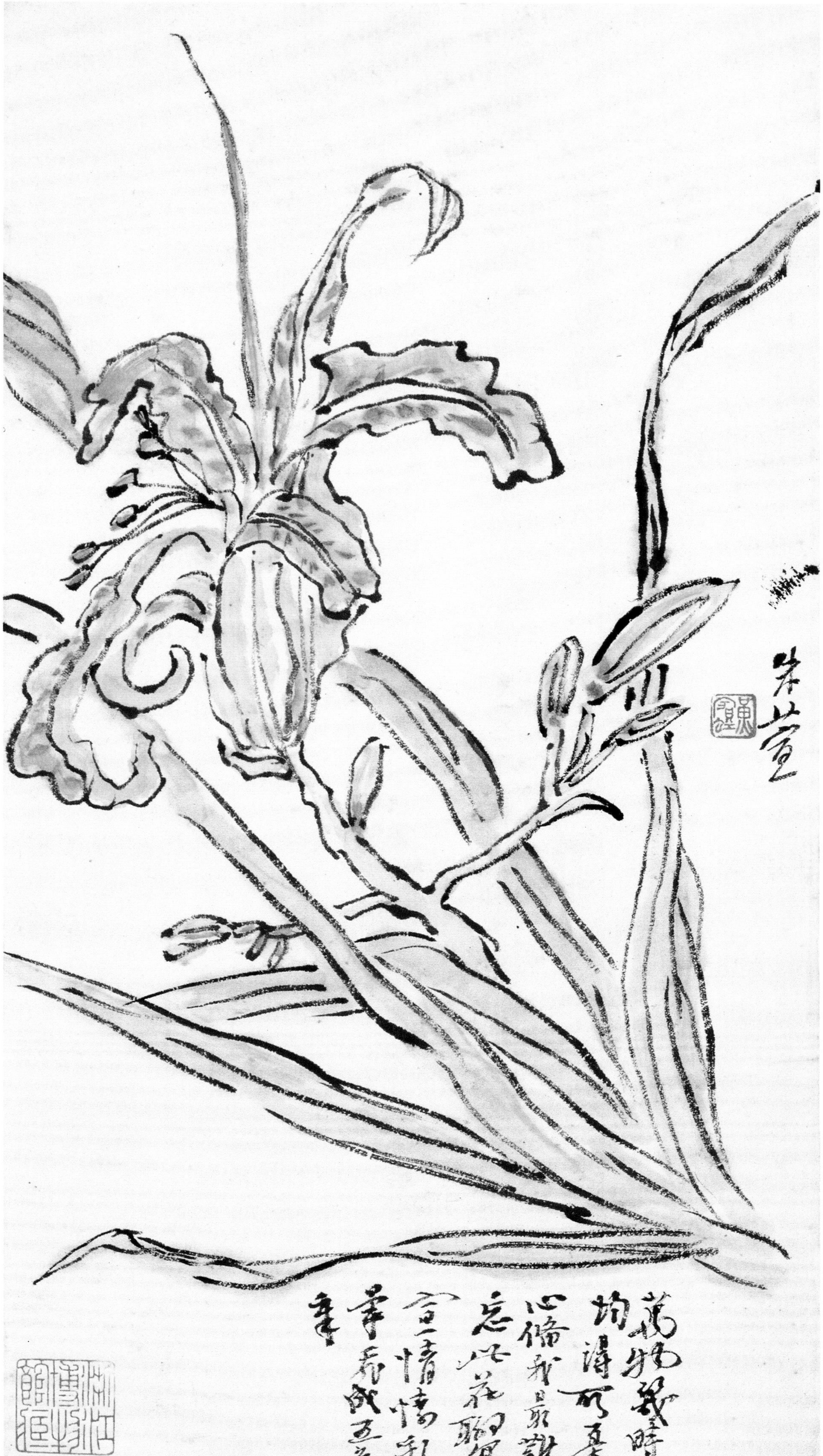

之五　朱萱花

題識：朱萱　萬物幾時均得所　憂心備我最難忘　此花聊寫宣情愫　彩暈飛成五色章

鈐印：黄賓虹

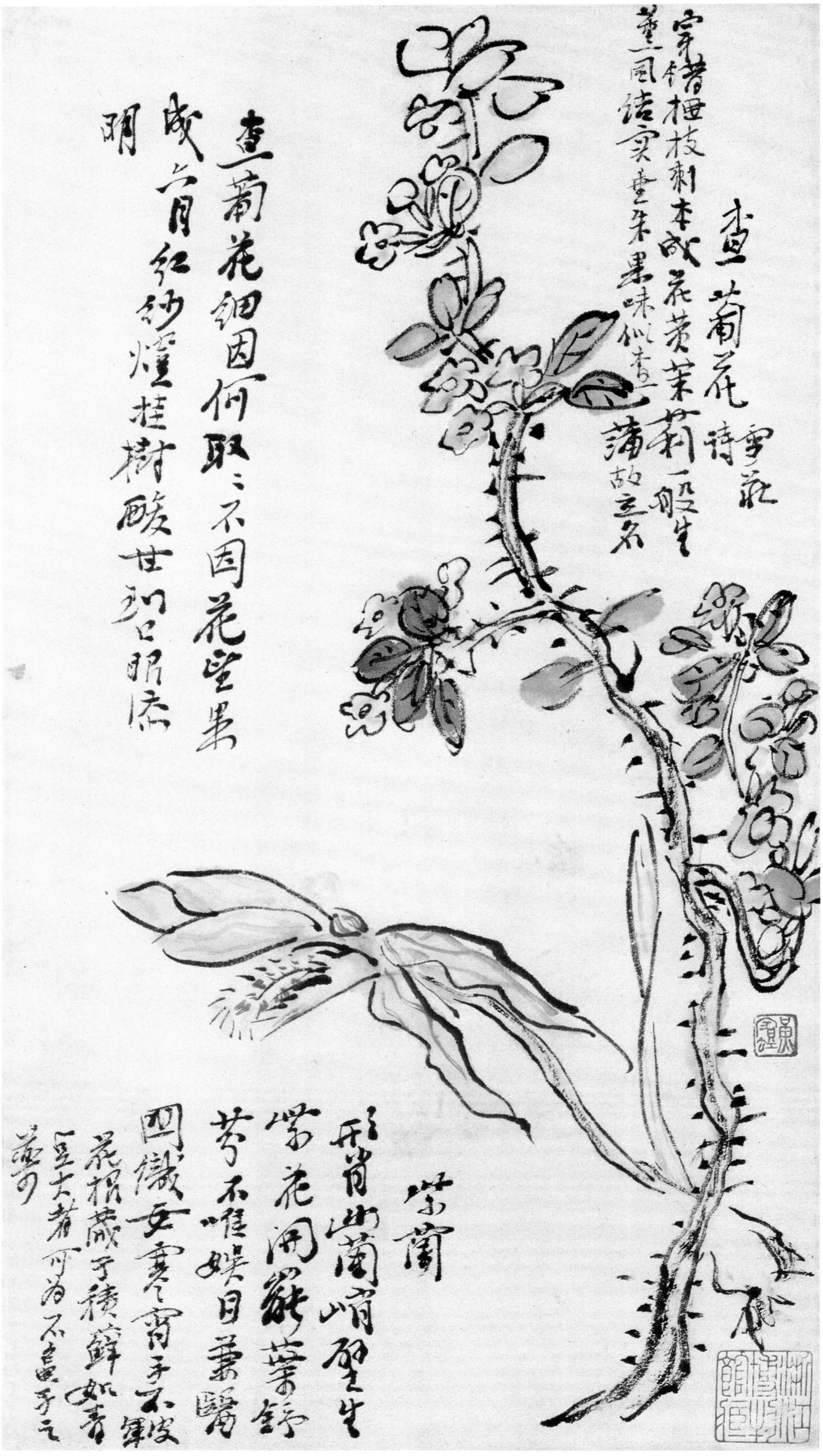

之六　查葡花紫蘭

題識：查葡花　雪莊詩　穿錯椏枝刺本成　花黃茉莉一般生　薰風結實垂朱果　味似查蒲故立名

查葡花細因何取　取不因花望果成　六月紅紗燈挂樹　酸甘到口眼添明

紫蘭　形肖幽蘭峭壁生　紫花開罷葉舒芬　不唯娱目兼醫國　織女寒宵手不皸

花根藏于積蘚　如青豆大者可爲不龜手之藥　鈐印：黃賓虹

之七　寶蓋花玉手花

題識：寶蓋花　玉手花　寶蓋寧甘俗手擎　纖纖玉指向花迎　化工真宰憑扶起　勝過江郎夢裏生

僧一智詩　鈐印：黃賓虹

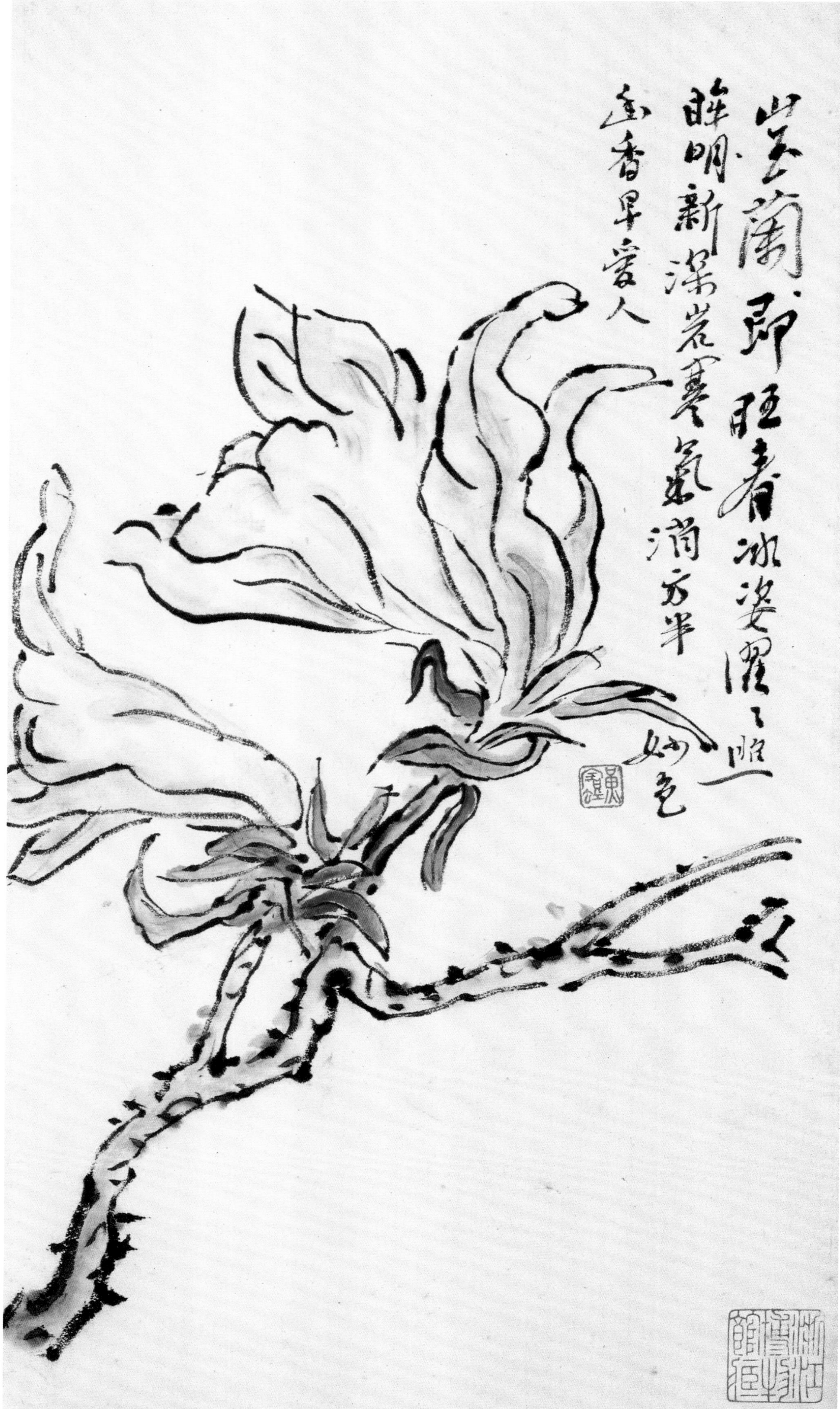

之八　山玉蘭

題識：山玉蘭　玉蘭即旺春冰姿　濯濯照眸眸明新　深岩寒氣消方半　妙色幽香早愛人

鈐印：黃賓虹

花卉

紙本　縱四〇厘米　橫二七厘米　浙江省博物館藏

花卉　兩幅

紙本　縱二六・一厘米　橫三六・五厘米　浙江省博物館藏

之一　花卉

之二　秋花

花卉 紙本 縱二七·五厘米 橫三七·五厘米 浙江省博物館藏

花卉　紙本　縱二七厘米　橫三六·九厘米　浙江省博物館藏

花卉 十二幅
紙本 縱二六·五厘米 横三七·五厘米 安徽省博物館藏
之一 薔薇辛夷
鈐印：賓虹草堂

之二　花卉

鈐印：黄賓虹

之三　紫薇

鈐印：虹盧

之四　牡丹

鈐印：黄冰鴻

之五　萱花
鈐印：黄賓虹　虹廬

之六　牡丹
鈐印：黄冰鴻

之七　牡丹

鈐印：黄冰鴻

之八　蝴蝶蘭

鈐印：黃賓虹

之九　花卉

鈐印：賓虹草堂

之十　花卉

鈐印：黃賓虹

之十一　月季桃花

鈐印：賓虹

之十二　牡丹

鈐印：賓虹

花卉
紙本　縱二八厘米　橫三七厘米　浙江省博物館藏

花卉

紙本　縱二七厘米　橫三八厘米　浙江省博物館藏

花卉　紙本　縱二三·五厘米　橫三二·五厘米　浙江省博物館藏

燈籠花

紙本　縱二七·五厘米　橫三八厘米　浙江省博物館藏

萱花　紙本　縱二六·四厘米　橫三四·八厘米　浙江省博物館藏

花卉 紙本 縱二六·四厘米 橫三二·八厘米 浙江省博物館藏

鈐印：會心處 黄賓虹

花草 紙本
縱二三厘米 橫四四厘米
浙江省博物館藏

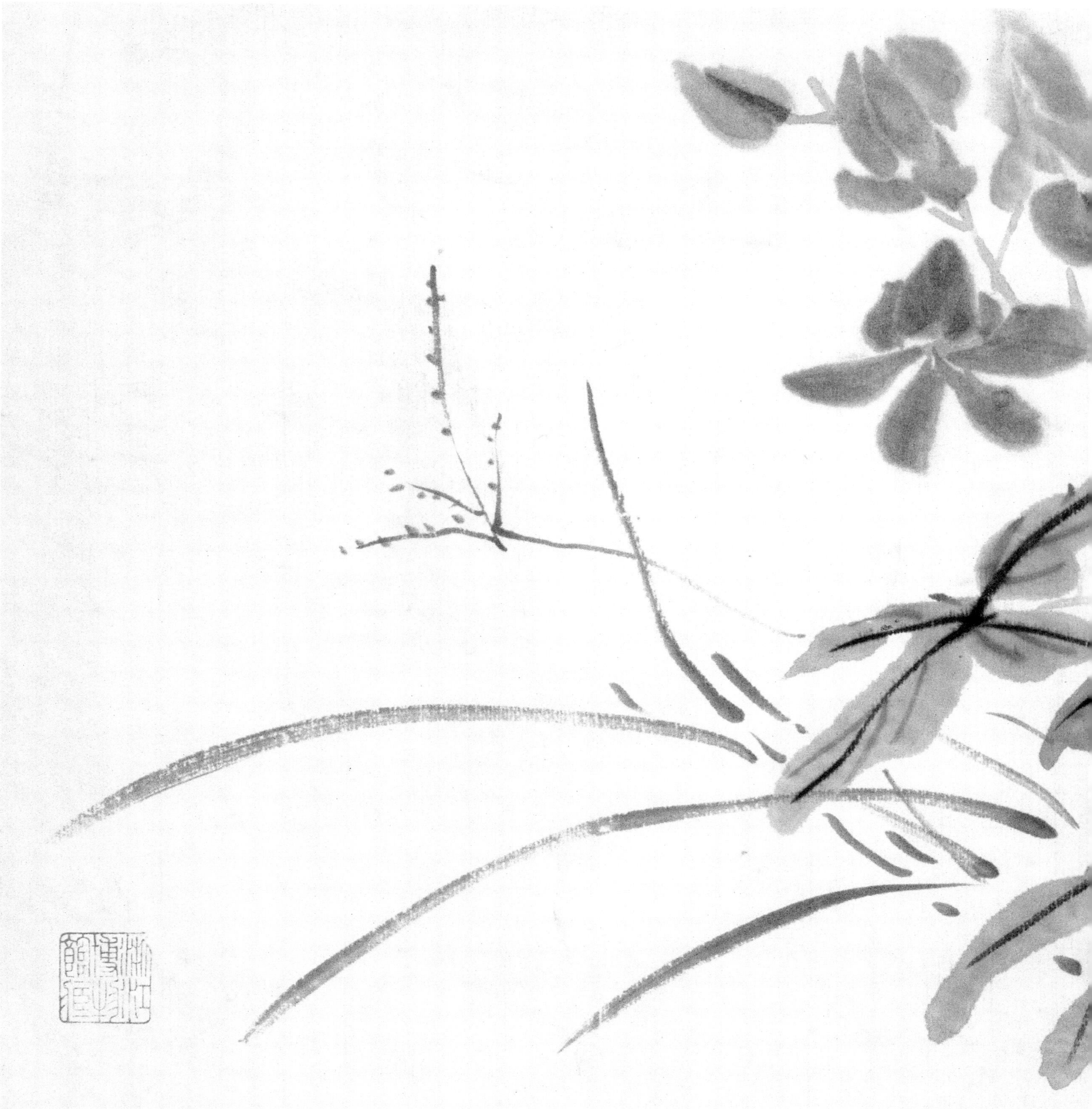

蝶花　紙本　縱三七厘米　橫五二厘米　浙江省博物館藏

芍藥 紙本 縱二七厘米 橫三七·五厘米 浙江省博物館藏

花卉 四幅
紙本 縱二七·五厘米 橫三七厘米 浙江省博物館藏
之一 花卉

之二　桃花

之三　花卉

之四　紫藤

花卉 十幅

紙本 縱二六·一厘米 橫三七·四厘米 浙江省博物館藏

之一 鷄冠蜀葵鳳仙花

之二　蜀葵薔薇

之二 月季

之四　虞美人

之五　花卉

之六　秋花

之七　花卉

之八　秋海棠

之九　秋花

之十　花卉

蝴蝶花 紙本

縱二四·三厘米 橫三二·八厘米 收藏者不詳

鈐印：黄賓虹

花卉 紙本

縱一六·二厘米 橫二三厘米 收藏者不詳

鈐印：黄賓鴻

月季　紙本　縱一三·五厘米　橫四〇厘米　浙江省博物館藏

豆花月季 紙本 縱二四厘米 橫四〇厘米 浙江省博物館藏

花卉 兩幅

紙本 縱二六·七厘米 橫三四·六厘米 浙江省博物館藏

之一 花卉

鈐印：黄賓虹

之二　山丹

題識：

雅艷如沃丹　影散春遲遲　密攢翡翠翎　低亞珊瑚枝

夕霞暈其姿　朝日引其光　護之以簾帷　那容蜂蝶狂

鈐印：黃賓虹

花卉　紙本　縱二四厘米　横八二·五厘米　浙江省博物館藏

蜀葵 紙本

縱二六・八厘米 横三四・八厘米 浙江省博物館藏

鈐印：黄質私印

之二 花卉

之三　海棠

之六　花卉

之七　紅蓼蜂蝶

題識：

鄙哉蠆尾蜂　么蝶相趁逐　石灘紅蓼花　亦爾文歷陸

之八　花卉

之九　蜂花

之十 海棠菊花

花卉 兩幅

紙本 縱二六·一厘米 橫三六·五厘米 浙江省博物館藏

之一 牡丹

之二 水仙

花卉 十幅

紙本 縱二八·五厘米 橫四五厘米 浙江省博物館藏

之一 芍藥

之二 牡丹

之三　春花

之四　海棠

之五　秋花草蟲

之六　花卉

之七　野花

題識：

野花摘浸山中酒

一醉應知老少年

之八　紫藤

之九　黄花

之十　月季

紫藤 紙本 縱二六厘米 橫三一厘米 私人藏

鈐印：黃賓虹

花卉蛙蟬 紙本 縱二六厘米 橫三一厘米 私人藏

題識：

玄蟬幻化初 未解鳴高樹 滄風飲露餘 一日當飛去

野草失故緑 天空將肅霜 蛙聲隔殘葉 烟雨滿秋塘

花攢蜀錦窠 開落南風裏 一寸向陽心 天涯幾千里

鈐印：黄賓虹

花卉 三幅 紙本 縱二四厘米 橫三一厘米 私人藏
之一 百合虞美人
鈐印：黃賓虹

之二　芙蓉小鳥

鈐印：黄賓虹　黄質私印

之三　天竹臘梅松枝

鈐印：黄賓虹

茶花　紙本　縱二八厘米　橫三八厘米　浙江省博物館藏

芙蓉 紙本 縱二六·一厘米 橫三七·四厘米 浙江省博物館藏

芙蓉

紙本　縱二四厘米　橫三一厘米　浙江省博物館藏

薔薇 紙本

縱三〇厘米 橫二七厘米

浙江省博物館藏

月季 紙本

縱三一厘米 橫二七厘米

浙江省博物館藏

芙蓉 紙本

縱二九·五厘米 橫二五·六厘米

浙江省博物館藏

茶花 紙本

縱五一厘米 橫四九厘米

浙江省博物館藏

花卉 紙本
縱三〇·五厘米 橫二七厘米
浙江省博物館藏

花卉 紙本
縱二九·五厘米 横二七厘米
浙江省博物館藏

花卉 紙本

縱二七厘米 橫三〇厘米

浙江省博物館藏

花卉 紙本
縱三一·五厘米 橫四二·五厘米
浙江省博物館藏

茶花　紙本

縱二五厘米　橫二六·五厘米

浙江省博物館藏

月季 紙本

縱三〇·五厘米 橫二七厘米

浙江省博物館藏

牡丹海棠 紙本
縱三二・五厘米
橫二〇・五厘米
浙江省博物館藏

桂花 紙本
縱四一厘米
横二九厘米
浙江省博物館藏

牡丹 紙本
縱三四・八厘米
横二六・八厘米
浙江省博物館藏
鈐印：黄賓虹

月季　紙本
縱三九厘米
横二七厘米
浙江省博物館藏

春花 紙本
縱三八厘米
橫二八厘米
浙江省博物館藏
鈐印：黄賓虹

野菊夾竹桃 紙本
縱三四·八厘米
橫二六·八厘米
浙江省博物館藏
鈐印：黃賓虹

月季芍藥 紙本 縱二六·五厘米 橫七四·五厘米 浙江省博物館藏

桃花 紙本 縱四六·五厘米 橫二八厘米 浙江省博物館藏

月季

紙本　縱四六·五厘米　橫二八厘米　浙江省博物館藏

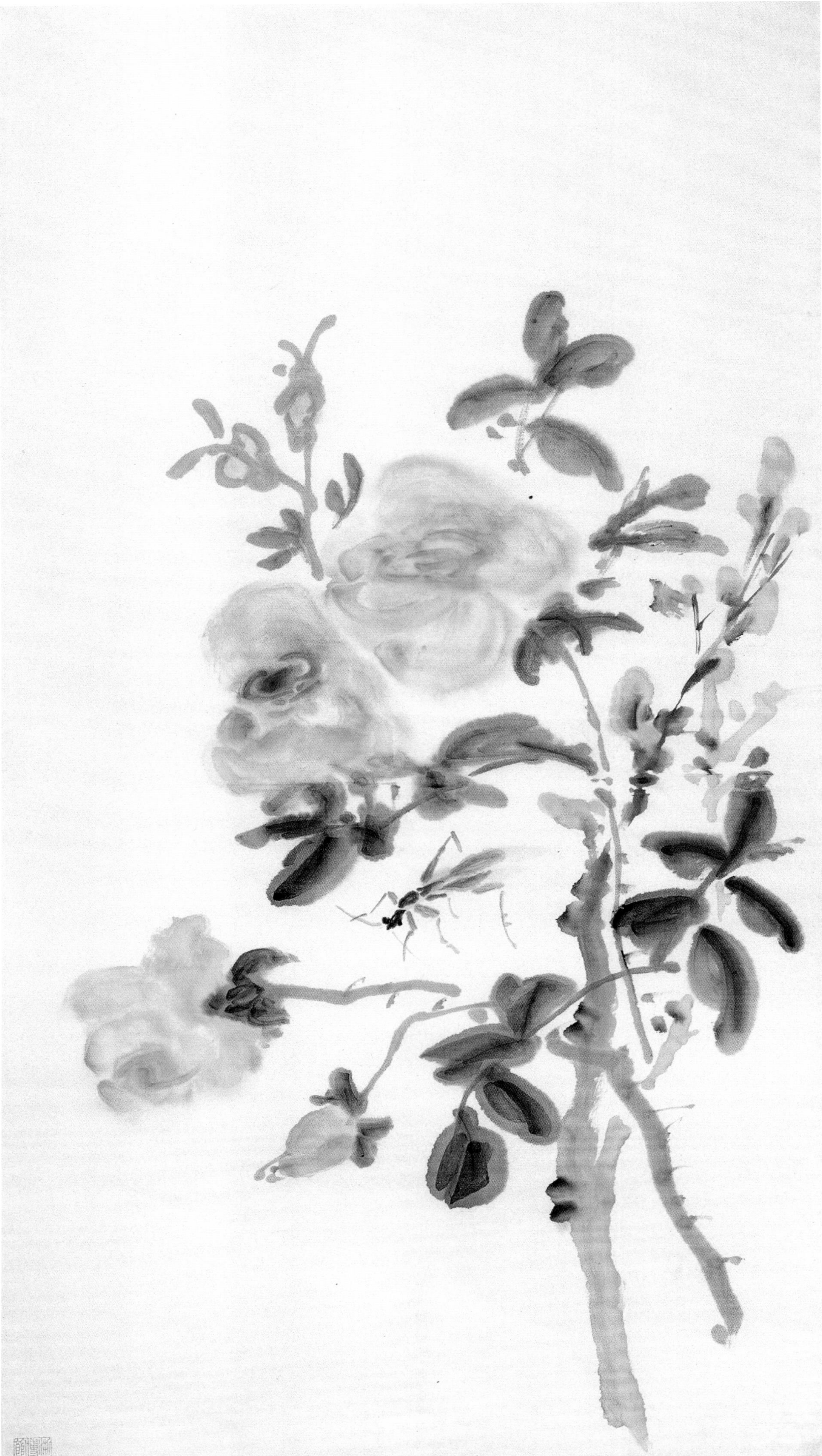

月季草蟲 紙本 縱七六厘米 橫四一厘米 浙江省博物館藏

花卉
紙本 縱四八厘米 橫二八厘米 浙江省博物館藏

花卉 兩幅
紙本 縱二四厘米 橫四一厘米 浙江省博物館藏
之一 蜀葵

之二一　花卉

牡丹

紙本　縱二八厘米　橫三九厘米　浙江省博物館藏

花卉 紙本

縱二四·八厘米 橫三六·三厘米 浙江省博物館藏

鈐印：黄賓虹

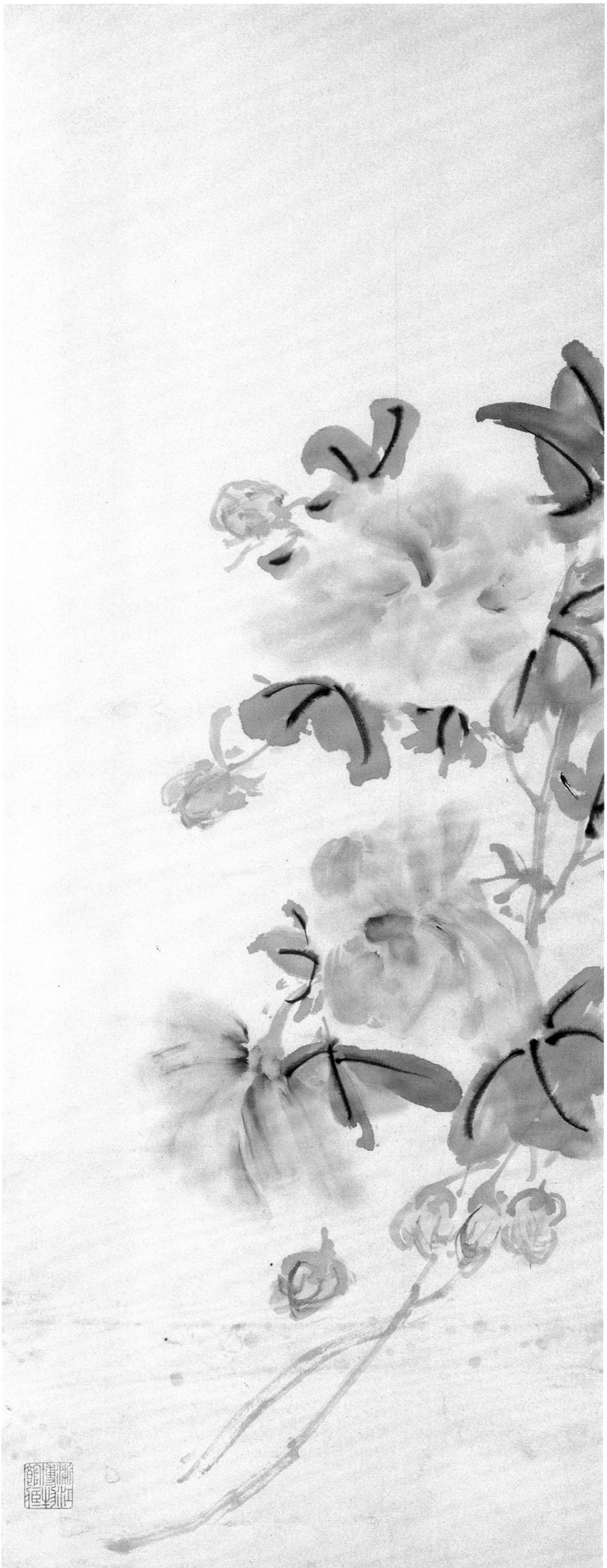

芙蓉 紙本 縱六四厘米 橫二三·六厘米 浙江省博物館藏

蝴蝶蘭桃花

紙本　縱六九厘米　橫三四厘米　浙江省博物館藏

芍藥 紙本 縱九二厘米 橫三四厘米 浙江省博物館藏

桃花 紙本 縱八一厘米 橫三四·五厘米 浙江省博物館藏

芙蓉

紙本　縱一一三厘米　橫三九·五厘米　浙江省博物館藏

月季 紙本 縱六四厘米 橫二三·五厘米 浙江省博物館藏

芍藥 紙本 縱二三·五厘米 橫八一·五厘米 浙江省博物館藏

虞美人　紙本　縱一〇七厘米　橫三五厘米　浙江省博物館藏

花卉

紙本　縱一一〇厘米　橫三二厘米　浙江省博物館藏

蜀葵 紙本 縱八二厘米 横三六厘米 浙江省博物館藏

夾竹桃

紙本　縱七五厘米　橫四〇·五厘米　浙江省博物館藏

秋花 紙本 縱一〇〇·四厘米 橫三九·八厘米 浙江省博物館藏

鈐印：黄賓虹印 賓虹草堂 冰上鴻飛館

芍藥

紙本　縱八一·五厘米　橫二三·五厘米　浙江省博物館藏

花卉 六幅 紙本 縱二八·一厘米 橫四一·三厘米 浙江省博物館藏

之一 月季

之二　紫藤

之三　花卉

之四　秋色

之五　秋花

之六　月季

花石圖 紙本 縱二七厘米 橫三五厘米 私人藏

鈐印：黄質 樸存

花卉 紙本 縱四〇·三厘米 橫一四六·三厘米 浙江省博物館藏

花卉 兩幅

紙本 縱二七·五厘米 橫四四·一厘米 浙江省博物館藏

之一 秋花

之二　牡丹

花卉 六幅

紙本 縱二九厘米 橫四四厘米 浙江省博物館藏

之一 蜀葵秋海棠

之二一　花卉

之三　芙蓉栀子花

之四　花卉

之五　菊花

之六　花卉

秋花 紙本 縱二二·五厘米 橫二八·五厘米 浙江省博物館藏

百合 紙本 縱二六·三厘米 橫三四·八厘米 浙江省博物館藏

鈐印：樸居士 黃賓虹

巧剪蛟綃　紙本　縱二八·五厘米　橫四一·七厘米　浙江省博物館藏

題識：

齋中坐愛錦標長　團扇輕搖送晚涼　自把一樽酬雅興　旋裁新句解金囊

巧剪蛟綃玉一團　仙人倦綉倚雕欄　臨風幾見輕翻袂　疑是嫦娥下廣寒

秋海棠 紙本 縱二六·五厘米 橫三七厘米 浙江省博物館藏

花卉 九幅

紙本 縱二七厘米 橫四一·五厘米 浙江省博物館藏

之一 桂花

之二 蝶花

之三 栀子花

之四　海棠

之五　牡丹

之六　花果

之七　花卉

之八　花石圖

之九　花石圖

芙蓉

紙本　縱二七厘米　横四〇厘米　浙江省博物館藏

花鳥 十幅 紙本 縱二八·八厘米 橫四二厘米 浙江省博物館藏

之一 芙蓉

之二一　牵牛花

之三　秋色

之四　秋花

之五　牡丹

之六　芙蓉

之七　秋花

之八　石榴桂菊

之九　牡丹

之十　花鳥

花鳥 兩幅

紙本 縱二七·四厘米 橫四一·九厘米 浙江省博物館藏

之一 芙蓉翠鳥

之二 辛夷綬帶

海棠 紙本 縱二七·六厘米 横三七·三厘米 浙江省博物館藏
鈐印：黄質私印

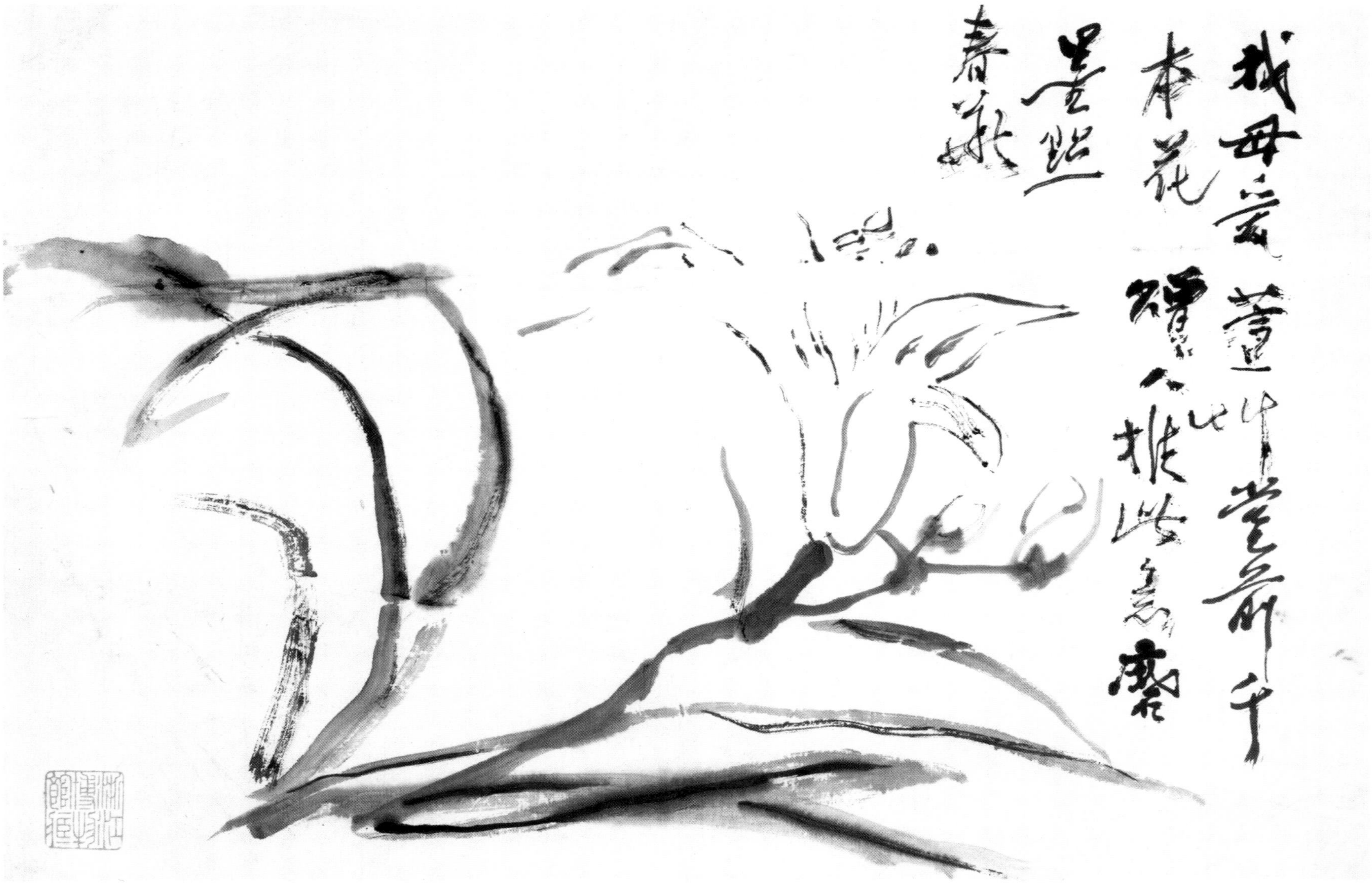

萱花　紙本　縱二一厘米　橫三一厘米　浙江省博物館藏

題識：我母愛萱草　堂前千本花　贈人推此意　磨墨點春華

芙蓉 紙本 縱二三厘米 横八一·五厘米 浙江省博物館藏

花鳥 五幅

紙本 縱二九·五厘米 橫四五厘米 浙江省博物館藏

之一 月季

之二一　茶花

之三　紅梅

之四　枝頭棲雀

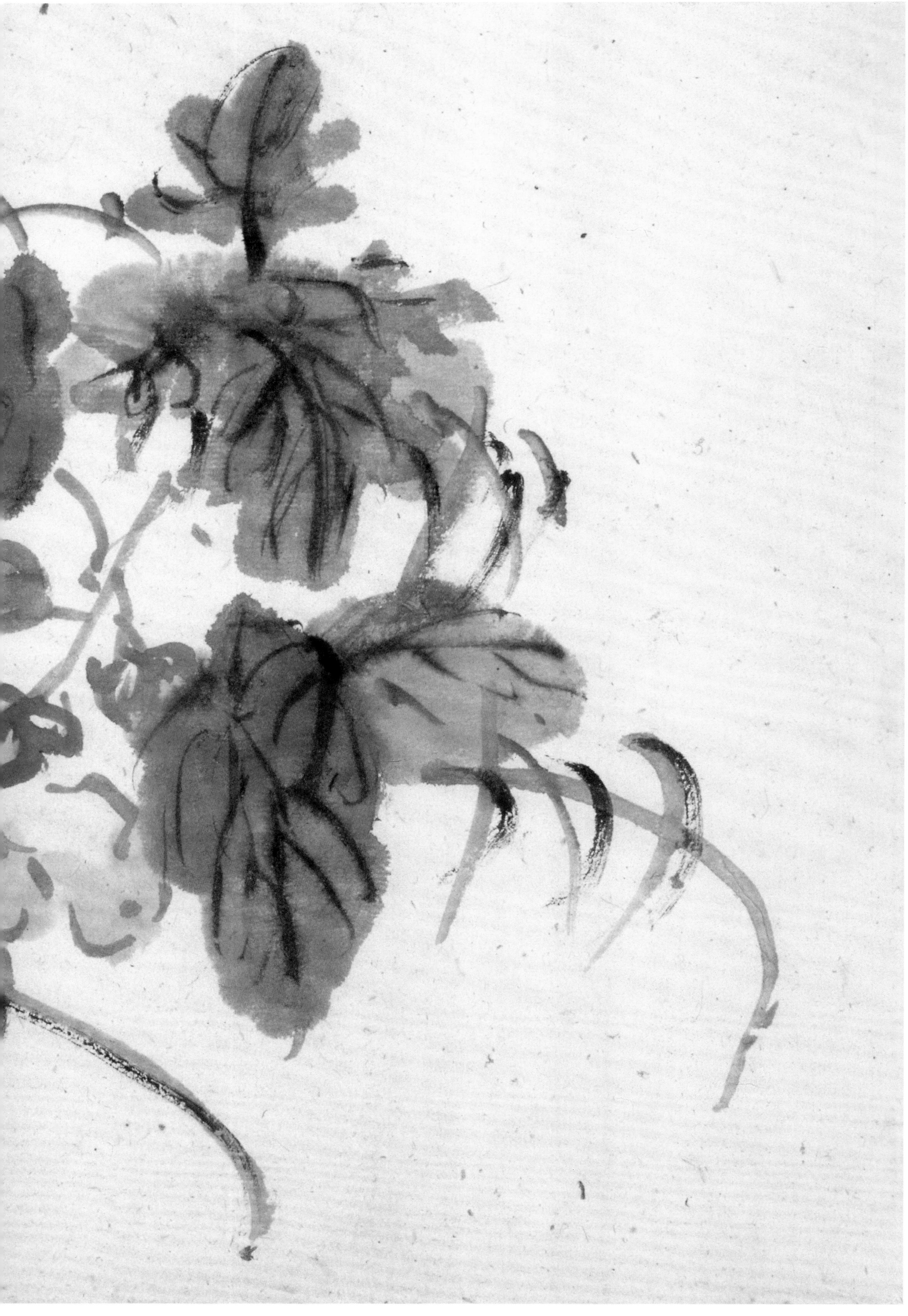

之五　芙蓉

花卉 七幅
紙本 縱二九厘米 橫四三厘米 浙江省博物館藏
之一 芙蓉

之二一　竹枝桃花

之三　花卉

之四　蜀葵

之五　萱花

之六　花卉

之七　月季石竹花

花卉 紙本
縱二七・五厘米 橫三八厘米 浙江省博物館藏

花鳥 兩幅

紙本 縱二八厘米 橫四四厘米 浙江省博物館藏

之一 芙蓉翠鳥

之二　鷄冠鳳仙花

花卉　紙本　縱二四厘米　橫八二厘米　浙江省博物館藏

花卉 四幅

紙本 縱二四・九厘米 橫三四・八厘米 浙江省博物館藏

之一 百合

鈐印：黄賓虹

之二　芍藥
鈐印：黄賓虹

之三　秋海棠

鈐印：黄質私印　樸居士

之四　茶花

鈐印：黃賓虹　樸居士

花卉 七幅

紙本 縱二六·一厘米 橫三六·五厘米 浙江省博物館藏

之一 山茶梅花

之二 月季

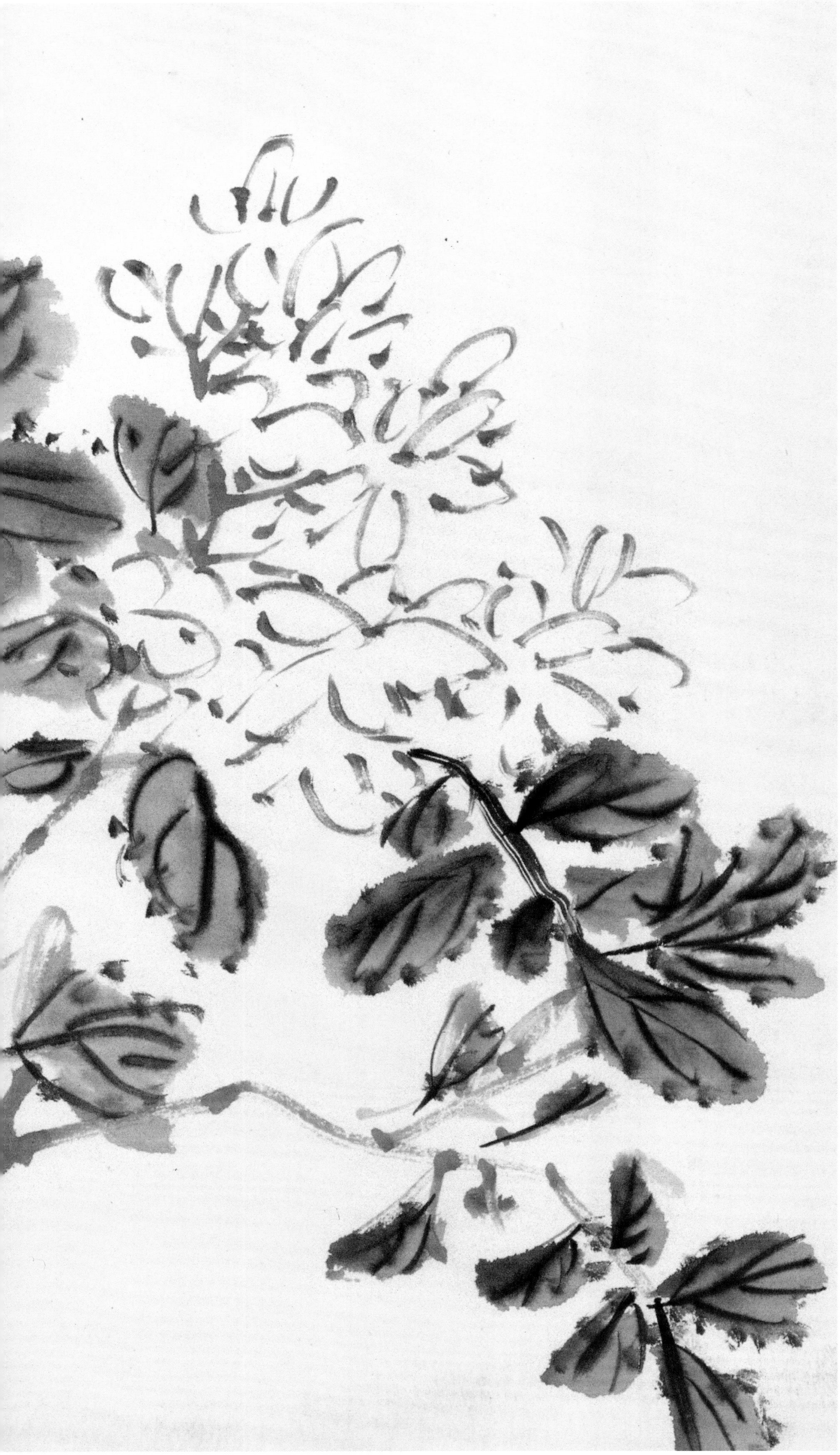

之三　綉球

之四　海棠

之五　花卉

之六　樱花

之七　月季桃花

花卉 三幅

紙本 縱二八厘米 橫三九厘米 浙江省博物館藏

之一 牡丹

鈐印：黄賓虹

之二　辛夷
鈐印：黃賓虹

之三　秋花

鈐印：黃賓虹

雜花 紙本

縱二六·五厘米 橫四二厘米 浙江省博物館藏

花卉　五幅　紙本　縱二八·五厘米　橫四二·六厘米　浙江省博物館藏

之一　蘭桂靈芝

題識：

一枝浥露擅秋場　金粟纍纍壓衆芳　清絶自緣天上種　榜題身許狀元香

之二　花卉

題識：

一段紅羅映曉霞　仙人裁作并頭花　動人春色何須侈　相伴群芳入習家

之三　蜀葵

題識：

挺挺仙標出衆芳　從來正色表青荒　階前衛足憐孤影　一點丹心自向陽

之四　竹枝牽牛黄蜂

鈐印：黄賓虹　樸居士

之五　芙蓉秋菊

題識：

曉寒初試雁南飛　楓落吴江翠已稀　唯有拒霜開蜀錦　東籬黄菊得相依

月季桃花　紙本　縱二六・七厘米　橫三五・六厘米　浙江省博物館藏

鈐印：黄賓虹

芙蓉桂花 紙本

縱三一·五厘米 橫二二·二厘米

浙江省博物館藏

紅果菊花　紙本

縱三四·八厘米　横二六·八厘米

浙江省博物館藏

鈐印：黄賓虹

春花 紙本

縱四二·五厘米 橫三一·五厘米

浙江省博物館藏

秋花 紙本

縱四〇·五厘米 橫二八厘米

浙江省博物館藏

桃花綉球　紙本　縱三七厘米　横二六厘米　浙江省博物館藏

秋果鳳仙雁來紅 紙本 縱六四·八厘米 橫三二·五厘米 浙江省博物館藏

花卉

紙本　縱七六厘米　橫四一厘米　浙江省博物館藏

花卉　紙本　縱二四厘米　横八二·五厘米　浙江省博物館藏

花卉 紙本 縱六八厘米 横三四厘米 浙江省博物館藏

花卉

紙本 縱四〇·三厘米 橫一四六·五厘米 浙江省博物館藏

花卉

紙本　縱八一·五厘米　橫二三·五厘米　浙江省博物館藏

玉蘭海棠牡丹

紙本　縱一三二厘米　橫二八厘米　浙江省博物館藏

花卉 紙本 縱一〇七厘米 橫三九·五厘米 浙江省博物館藏

題識：予向 鈐印：黄賓虹 冰上鴻飛館

牡丹

紙本　縱一一〇厘米　橫三六·五厘米　浙江省博物館藏

紫藤綉球 紙本 縱一四〇·九厘米 橫四八·三厘米 浙江省博物館藏

鈐印：黄賓虹 黄山山中人

豆花麥穗 紙本 縱七四·四厘米 橫二六·五厘米 浙江省博物館藏

鈐印：黃賓虹

花卉

紙本　縱七四厘米　橫四一厘米　浙江省博物館藏

萱花

紙本　縱六五厘米　橫三六・五厘米　浙江省博物館藏

花卉 紙本 縱二四厘米 橫八二·五厘米 浙江省博物館藏

牡丹月季 紙本 縱一〇八厘米 橫四〇厘米 浙江省博物館藏

芙蓉

紙本　縱一一〇厘米　橫四五厘米　浙江省博物館藏

芙蓉 紙本 縱一〇〇·三厘米 橫三九·八厘米 浙江省博物館藏

鈐印：黄賓虹印 賓虹草堂 竹窗

紫藤月季 紙本 縱一〇七厘米 橫四一·五厘米 浙江省博物館藏

芍藥 紙本 縱一一二·二厘米 橫三二厘米 浙江省博物館藏

鈐印：黄賓虹印 賓虹草堂

桃花

紙本　縱八二厘米　横二四厘米　浙江省博物館藏

月季桃花 紙本 縱七二·四厘米 橫三九·一厘米 浙江省博物館藏

鈐印：黃賓虹印 賓虹草堂

虞美人　紙本　縱八二厘米　橫三九厘米　浙江省博物館藏

飛蝶玉簪花　紙本　縱六四·九厘米　橫二三·四厘米　浙江省博物館藏

鈐印：冰上鴻飛館

菊花

紙本　縱六七厘米　橫三三·五厘米　浙江省博物館藏

百合菊花 紙本 縱七五·五厘米 橫三一厘米 浙江省博物館藏

鈐印：黄賓虹

芙蓉桂花

紙本　縱一一七厘米　横四〇厘米　浙江省博物館藏

芍藥桃花 紙本 縱一二一厘米 橫四一厘米 浙江省博物館藏

玉蘭綉球牡丹 紙本 縱一〇七厘米 橫三六厘米 浙江省博物館藏

鈐印：黄賓虹

牡丹白梅 紙本 縱七五·五厘米 横四〇·五厘米 浙江省博物館藏

芙蓉桂花 紙本 縱七六厘米 横四四·五厘米 浙江省博物館藏

芙蓉桂花 紙本 縱六八厘米 橫二九厘米 浙江省博物館藏

牡丹　紙本　縱八六·五厘米　橫三三厘米　浙江省博物館藏

桃柳蟬蟲 紙本 縱六七·五厘米 橫三三厘米 浙江省博物館藏

芍藥海棠 紙本 縱六二厘米 橫三三厘米 浙江省博物館藏

鈐印：黃質賓虹

花卉 七幅

紙本 縱二八厘米 橫四四厘米 浙江省博物館藏

之一 花卉

題識：孫漫士 崇禎己卯

之二一　花草秋蟲

之三　花卉

之四　花卉

之五　梅花水仙

之六　枯木花卉

之七　群蝶水仙

葫蘆 紙本

縱二四·九厘米 橫三四·八厘米 浙江省博物館藏

鈐印：黃賓虹

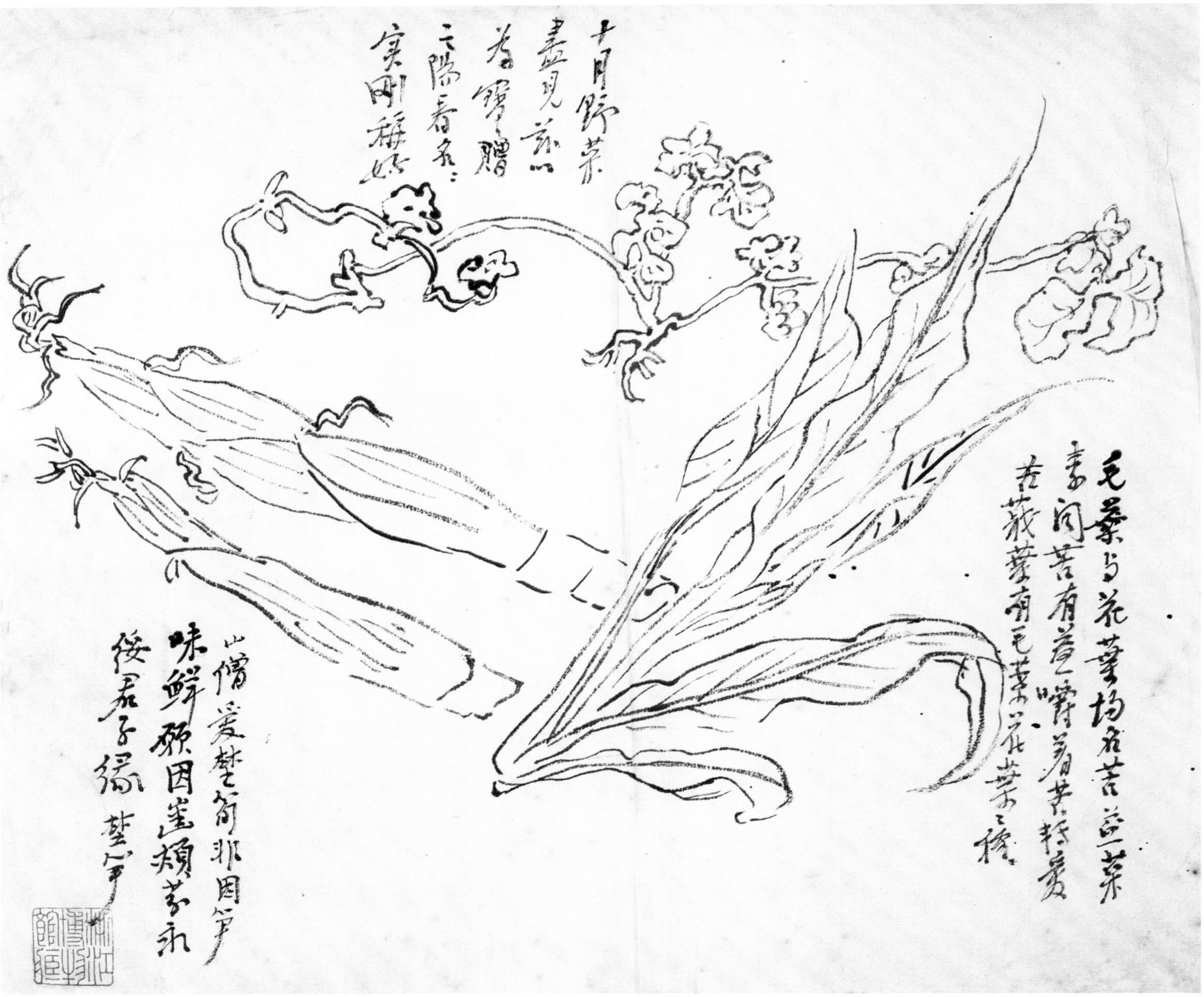

苦益菜野笋 紙本 縱二三厘米 橫二七厘米 浙江省博物館藏

題識：

十月野菜畫 見玆以爲寶 贈之陽春名 名實剛稱好

毛葉與花葉均名苦益菜 素聞苦有益 嚼着苦轉愛苦

蕺葉有毛葉花葉二種

山僧愛野笋 非因笋味鮮 願因齒頰芬 永綏君子緣 野笋

花果翎毛 紙本 縱二四·八厘米 橫三〇·七厘米 浙江省博物館藏

鈐印：黃賓虹

花卉 紙本
縱二九·五厘米
横二二厘米
浙江省博物館藏
鈐印：黄山予向

牡丹錦鷄 紙本
縱五一·五厘米
横三七厘米
浙江省博物館藏

蜀葵 紙本
縱五九·五厘米
橫四一厘米
浙江省博物館藏

花卉 紙本
縱三一・六厘米
橫二二・二厘米
浙江省博物館藏

花卉 紙本
縱二九·五厘米
横二二厘米
浙江省博物館藏

花卉禽鳥蛙蟲 紙本 縱二八·五厘米 橫九〇厘米 浙江省博物館藏

花卉 紙本
縱三一·七厘米
横二二·二厘米
浙江省博物館藏

菊花 紙本
縱二五厘米
橫一五·五厘米
私人藏
鈐印：黃賓虹

牡丹 紙本
縱二五厘米
橫一六厘米
浙江省博物館藏

月季

紙本　縱八八·五厘米　橫三一·五厘米　浙江省博物館藏

月季榴花 紙本 縱一〇三厘米 橫二三·五厘米 浙江省博物館藏

花卉 紙本 縱七九厘米 橫三二厘米 浙江省博物館藏

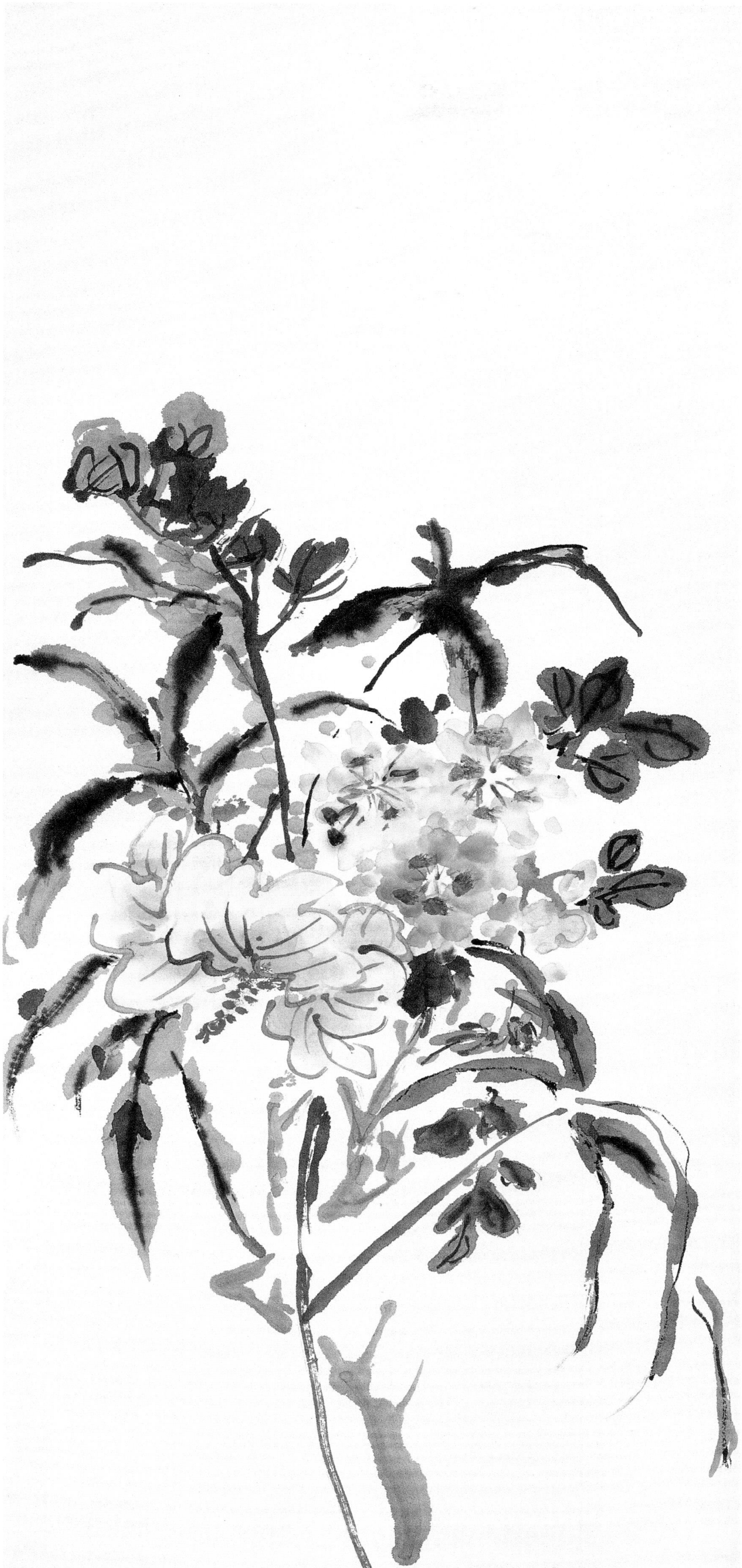

秋花

紙本　縱七二·七厘米　橫三〇·四厘米　浙江省博物館藏

月季野花 紙本 縱七九厘米 橫三三厘米 浙江省博物館藏

牡丹

紙本　縱八一·五厘米　橫二三·五厘米　浙江省博物館藏

月季百合　紙本　縱一〇一厘米　橫三三厘米　浙江省博物館藏

鈐印：黃賓虹

山茶梅花 紙本 縱一一〇·三厘米 橫三八·八厘米 浙江省博物館藏

鈐印：黄賓鴻

石竹花卉 紙本 縱一二一厘米 橫四一厘米 浙江省博物館藏

湖石花卉 紙本 縱七五·六厘米 橫三八·四厘米 浙江省博物館藏

鈐印：黄賓虹

牡丹瘦石圖 紙本 縱一二〇厘米 橫四一厘米 浙江省博物館藏

湖石梔子花　紙本　縱一二二厘米　橫四一厘米　浙江省博物館藏

湖石花卉 紙本 縱一一九厘米 横四一厘米 浙江省博物館藏

山風槭槭　紙本　縱六四厘米　橫三三厘米　一九四三年作　浙江省博物館藏

題識：山風槭槭海天晴　月底何人作鳳鳴　想是澹山王子晋　九成臺上夜吹笙　賓虹

鈐印：黄賓虹　癸未年八十

夜静無人 紙本 縱五五·五厘米 橫三四厘米 浙江省博物館藏

題識：夜静無人相對玩 月明清露濕宮紗

鈐印：黃賓虹 賓虹草堂 竹窗

花卉魚蝦 紙本 縱二七厘米 橫九七厘米 私人藏

題識：

蓼花菱葉水濱秋 小小魚蝦自在游 此是老人閑筆墨 居然風趣滿滄洲

題老友賓虹遺畫 勃新同志珍藏 癸卯冬 張宗祥

鈐印：冷僧八十以後作 黄質之印 黄賓虹

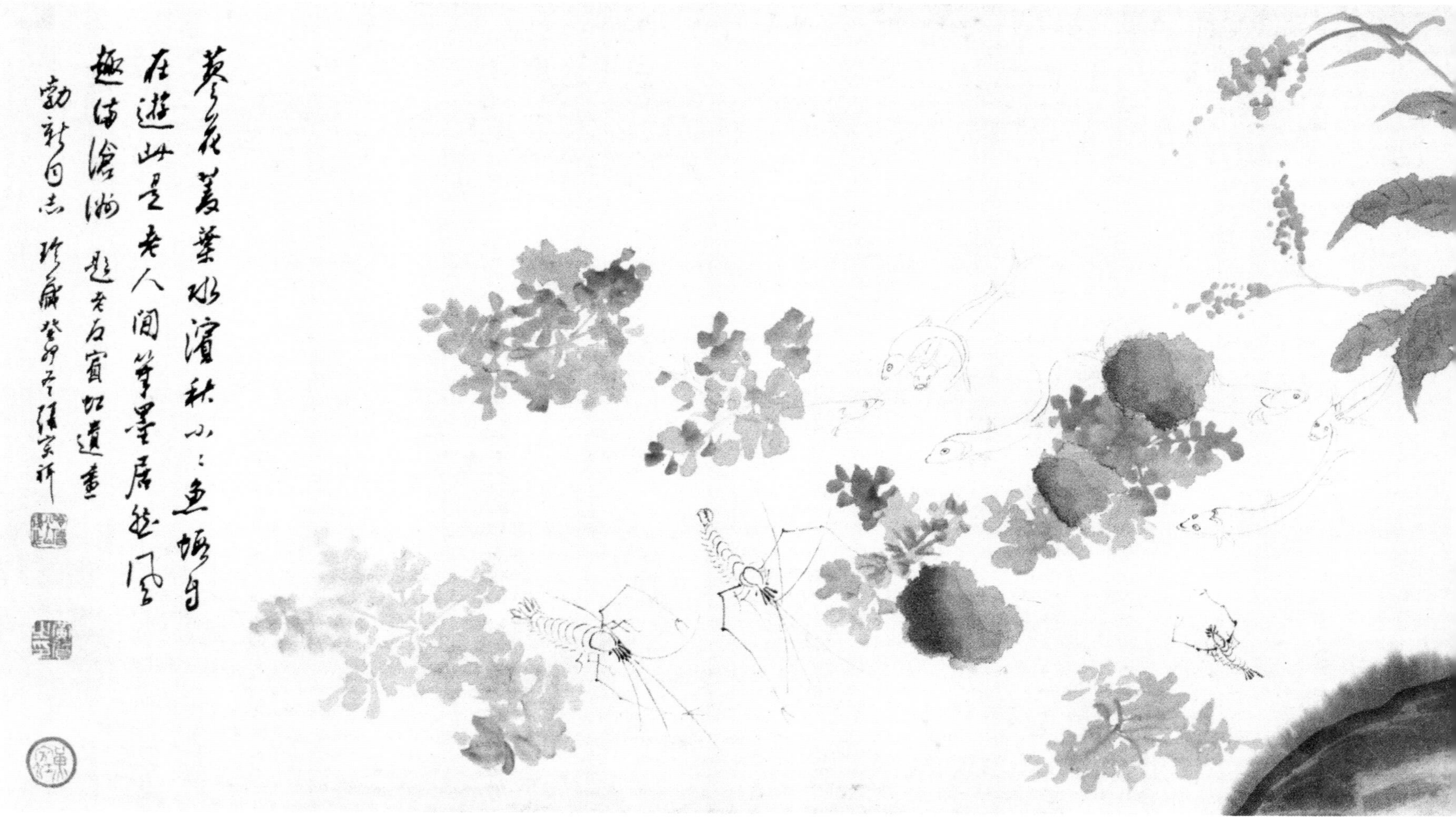

秋花 紙本 縱一〇〇厘米 橫三六·五厘米 浙江省博物館藏

花鳥 紙本 縱八二厘米 橫四二厘米 天津人民美術出版社藏

題識：背擬陳沱江筆 予向 鈐印：黃賓虹

牡丹梅花　紙本　縱一〇三·七厘米　横三九·九厘米　中國美術館藏

題識：予向　鈐印：黄賓虹　黄賓虹

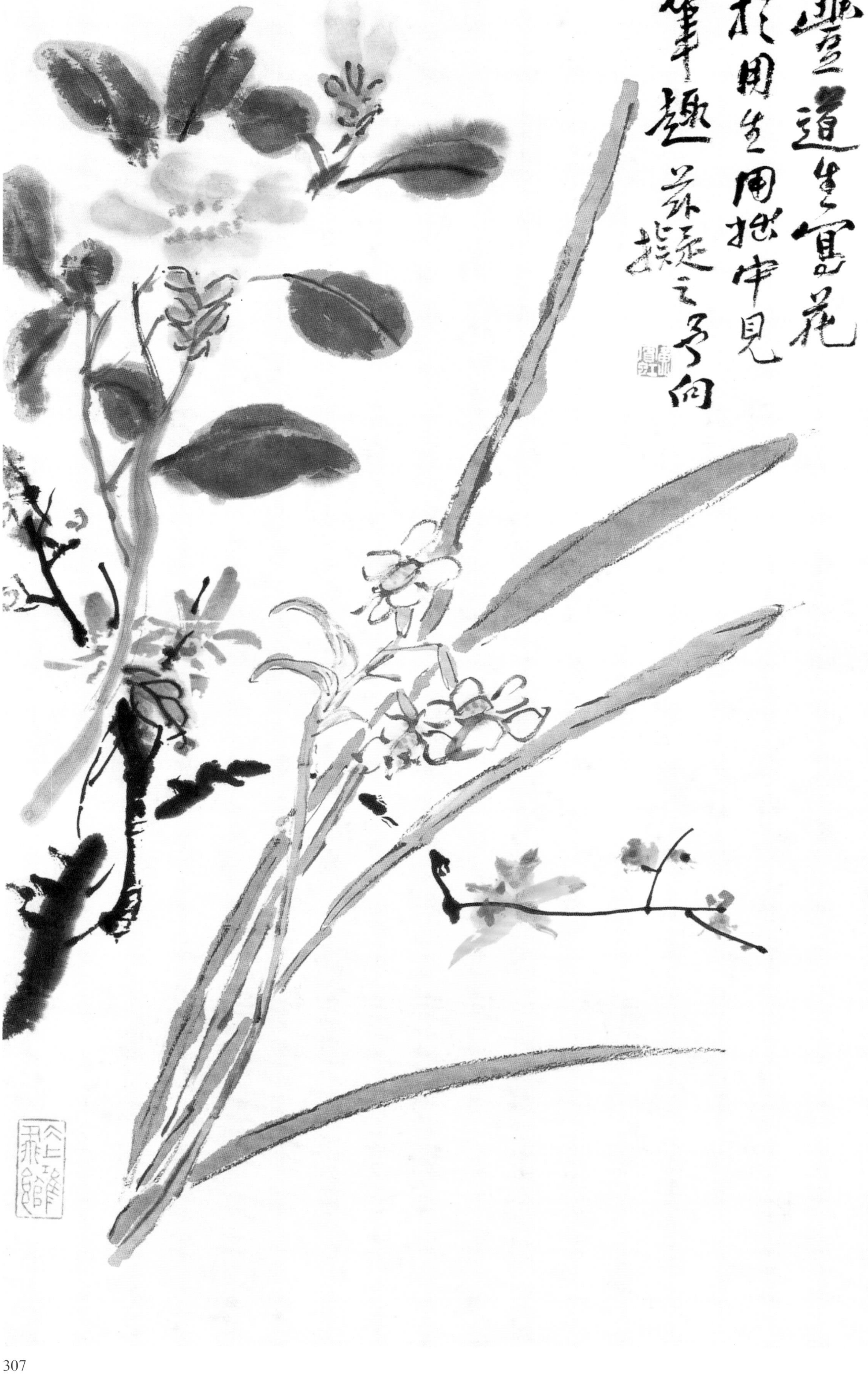

花卉 紙本 縱七九厘米 橫四四·七厘米 中國美術館藏

題識：豐道生寫花 于用生用拙中見筆趣 玆擬之 予向

鈐印：黃賓虹 冰上鴻飛館

王澹軒寫花得趙松雪指授頗多逸氣茲一擬之 賓虹

花卉 紙本 縱一二〇厘米 橫四〇厘米 天津人民美術出版社藏

題識：王澹軒寫花得趙松雪指授 頗多逸氣 茲一擬之 賓虹

鈐印：竹北移 黃賓虹 甲子冬乙丑年元日生

花石圖 紙本 縱一一六·三厘米 橫三八·五厘米 收藏者不詳

題識：宋元人多作雙鈎花卉 每超逸有致 明賢秀勁當推陳章侯 余略變其法爲之 賓虹

鈐印：竹北移 黃賓虹 甲子冬乙丑年元日生

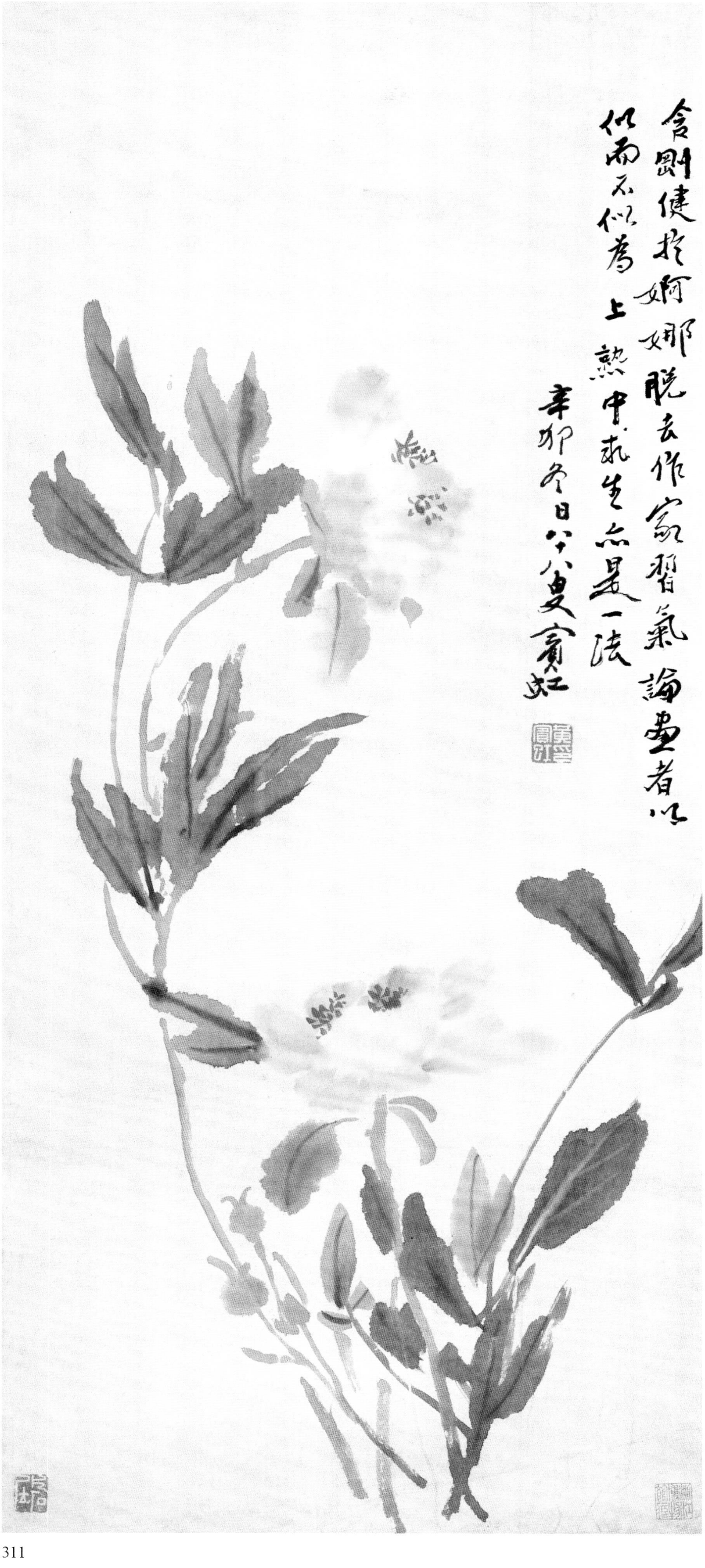

芍藥　紙本　縱八〇・六厘米　横三五・九厘米　一九四九年作　浙江省博物館藏

題識：含剛健于婀娜　脱去作家習氣　論畫者以似而不似爲上　熟中求生亦是一法　辛卯冬日　八十八叟賓虹

鈐印：黃賓虹印　片石居

水仙梅花　紙本　縱七〇·八厘米　橫三八·八厘米　一九四九年作　收藏者不詳

題識：辛卯初春　海燕先生笑正　八十八叟賓虹

鈐印：黃賓虹印　冰上鴻飛館